JEUNES SAVANTS

Quel temps fait-il ?

Terry Jennings — François Carlier

Éditions Gamma — Éditions du Trécarré

Que t'apprendra ce livre ?

Ce livre te fera connaître beaucoup de choses sur le temps qu'il fait. Il t'expliquera ce que sont les nuages et le brouillard, pourquoi il pleut et il neige, et comment les vents se forment. Il te proposera aussi diverses activités et expériences à faire. Tu apprendras par exemple comment fabriquer un pluviomètre, un tableau des températures, une manche à air, et encore bien d'autres choses.

L'édition originale de cet ouvrage
a paru sous le titre : *Weather*

TR House, Christopher Road,
East Grinstead, Sussex, England

Adaptation française de F. Carlier

D/1988/0195/58
ISBN 2-7130-0945-6
(édition originale : ISBN 0 531 17088 8)

Exclusivité au Canada :
Éditions du Trécarré, 2973, rue Sartelon,
Ville Saint-Laurent, Qué. H4R 1E6
Dépôts légaux, 1er trimestre 1989,
Bibliothèque nationale du Québec
Bibliothèque nationale du Canada
ISBN 2-89249-268-8

Illustrations de David Anstey

Imprimé en Espagne
par Heraclio Fournier S.A.

Regarde par la fenêtre et observe quel temps il fait aujourd'hui. Il y a des nuages ou du soleil, peut-être de la pluie, beaucoup ou peu de vent, et il fait chaud ou froid, sec ou humide. Tout cela forme ce que nous appelons le temps. Le dessin montre un temps froid, humide et venteux. Comme les feuilles tombent des arbres, c'est sans doute un temps d'automne.

Quand le temps est froid, nous mettons des vêtements épais et chauds. Nous en mettons de plus fins et légers quand il fait chaud. Regarde les deux images ci-dessous : quels vêtements mettrais-tu dans chaque temps ?

Fais deux dessins de toi-même sur une feuille de papier : une fois avec les habits que tu portes par temps froid, et une fois avec les habits pour temps chaud.

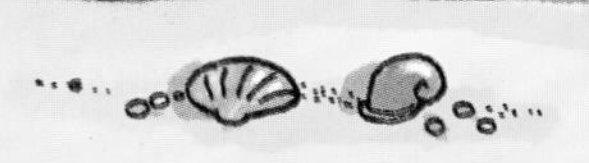

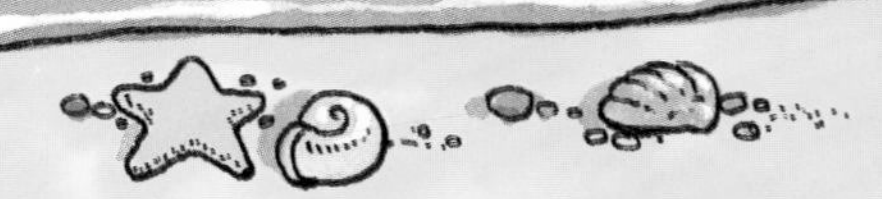

Voici un thermomètre. Il sert à mesurer la température de l'air : il indique si l'air est chaud ou froid. Il marque ici une température de 20 degrés Celsius (20 °C) ou, en mesure anglaise, 68 °Fahrenheit.

Fais un tableau des températures, comme ci-dessous. Pendant une semaine, mets chaque matin le thermomètre à l'extérieur pendant cinq minutes.

Températures en degrés Celsius (°C)

LUN	MAR	MER	JEU	VEN	SAM	DIM
10	7	15	28	21	18	24

Lis alors la température et marque-la sur le tableau. À la fin de la semaine, tu verras quand il aura fait le plus chaud ou le plus froid.

Tu pourrais aussi noter le temps dans un carnet. Chaque jour, marque la date sur une nouvelle page, et puis décris le temps qu'il fait. Tu pourrais en plus faire un dessin qui montre ce temps. Puis inscris la température, prise chaque jour à la même heure.

Mercredi 31 juillet
Le ciel est bleu. Le soleil brille.
Il fait beau, sec et chaud.
La température est de 28°C.

Place différents récipients à l'extérieur quand il pleut. Tu remarqueras que chacun d'eux reçoit une quantité différente de pluie. L'eau montera le plus haut dans le gobelet en plastique. Le plat à four débordera le premier. La cuvette en plastique retiendra le plus d'eau.

Tu peux fabriquer un pluviomètre pour mesurer combien d'eau de pluie tombe. Demande à un adulte de couper le haut d'une bouteille en plastique. Remets le haut de la bouteille, mais en le retournant. Place ton pluviomètre à l'extérieur. Cale-le avec des briques, pour que le vent ne le renverse pas. La pluie coulera au fond, ou bien dans une petite bouteille que tu mettras dans la grande.

Regarde chaque matin combien d'eau il y a dans le pluviomètre. Verse-la dans une petite bouteille (ou change celle qui est au fond). Emploie chaque jour une nouvelle bouteille. Les petites bouteilles du dessin montrent combien d'eau de pluie est tombée chaque jour d'une semaine. Il n'a pas plu à certains jours.

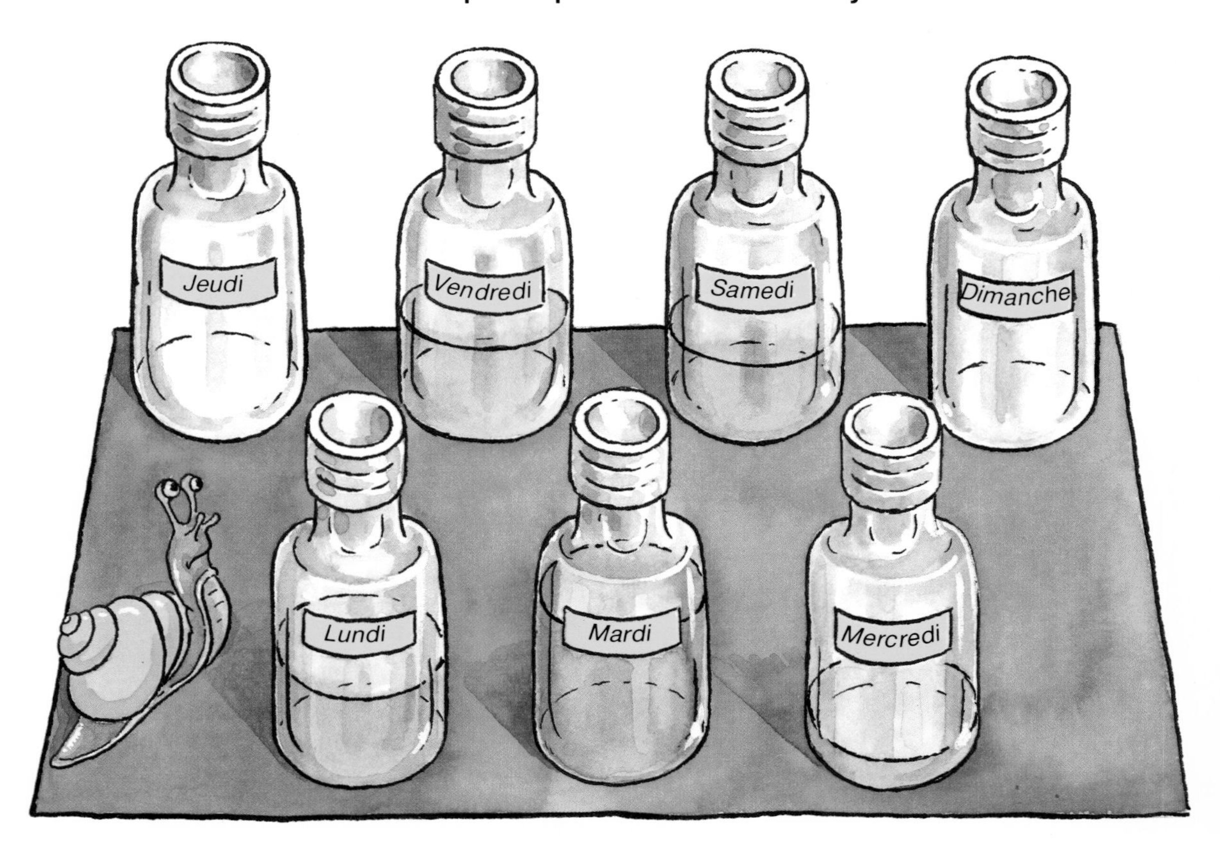

Sors après qu'il a plu et cherche une flaque. Trace un trait de craie autour de cette flaque. Le lendemain, si le temps est ensoleillé, la flaque sera plus petite. Une partie de son eau a été changée en vapeur d'eau par la chaleur du soleil et s'est envolée dans l'air.

La chaleur d'une maison peut aussi changer de l'eau en vapeur d'eau. Place par exemple une soucoupe pleine d'eau sur la tablette d'une fenêtre. Regarde la soucoupe le lendemain : elle contient moins d'eau que la veille. De l'eau est partie sous forme de vapeur d'eau.

Partout dans le monde, de l'eau s'envole dans l'air sous forme de vapeur d'eau. Celle-ci est un gaz qu'on ne voit pas. Mais quand elle monte très haut dans l'air, où il fait froid, la vapeur d'eau se refroidit et redevient de l'eau, en petites gouttelettes. Celles-ci forment les nuages qui flottent dans l'air.

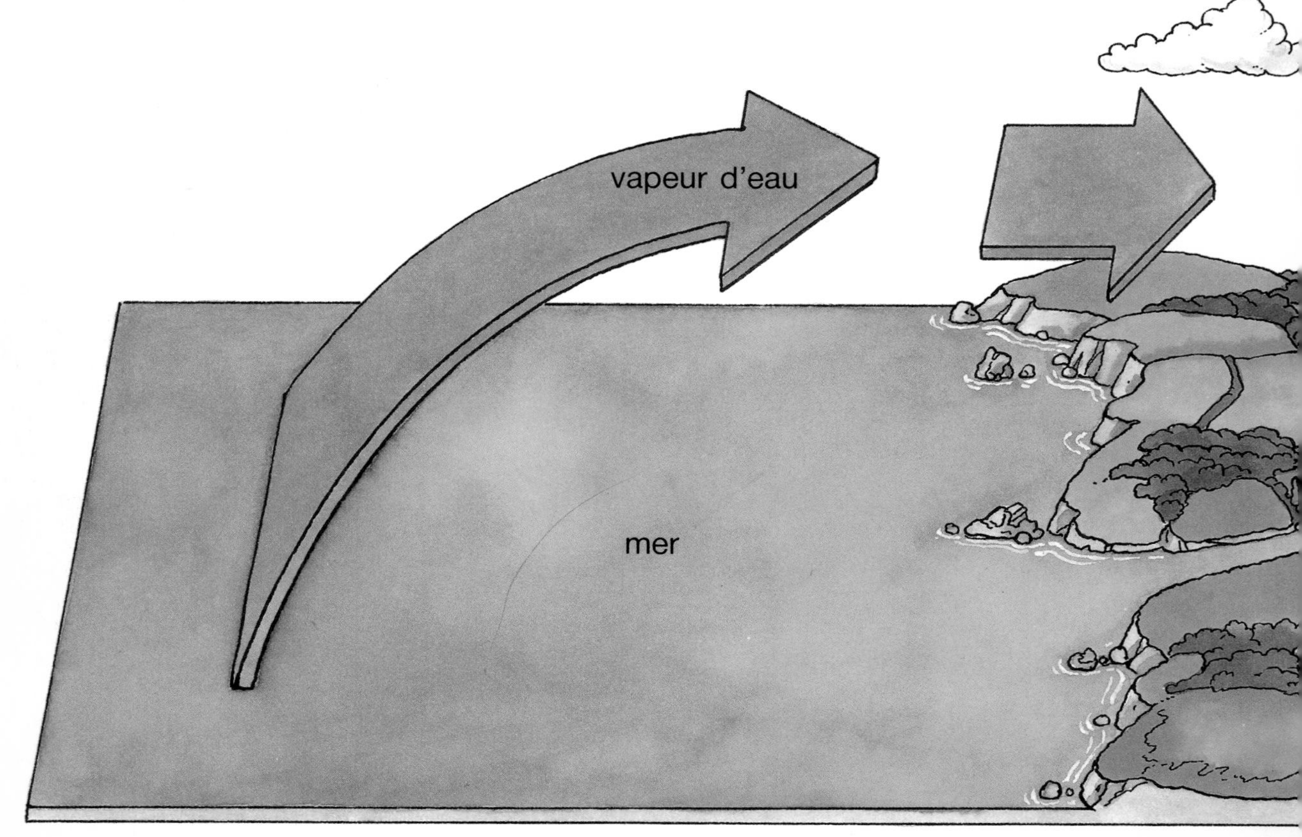

Parfois les nuages descendent très bas et touchent le sol : il y a alors du brouillard. Parfois les gouttelettes se réunissent en gouttes et tombent : c'est alors la pluie. S'il fait très froid dans l'air, les gouttelettes des nuages gèlent et forment des flocons de neige. Si les gouttes de pluie gèlent, c'est la grêle.

Regarde le ciel par un jour ensoleillé : il y a peut-être de petits nuages blancs. Regarde le ciel par un jour de pluie : des nuages gris et sombres peuvent couvrir tout le ciel. Dessine une vue d'un jour nuageux. Écris sous le dessin quel temps il fait quand il y a des nuages.

Fabrique un cadre à nuages en papier noir, comme ci-dessous. Colle-le sur une fenêtre et regarde les nuages. Tu pourras observer la vitesse à laquelle ils passent. C'est le vent qui déplace et emporte les nuages. Ceux-ci flottent plus ou moins haut dans l'air.

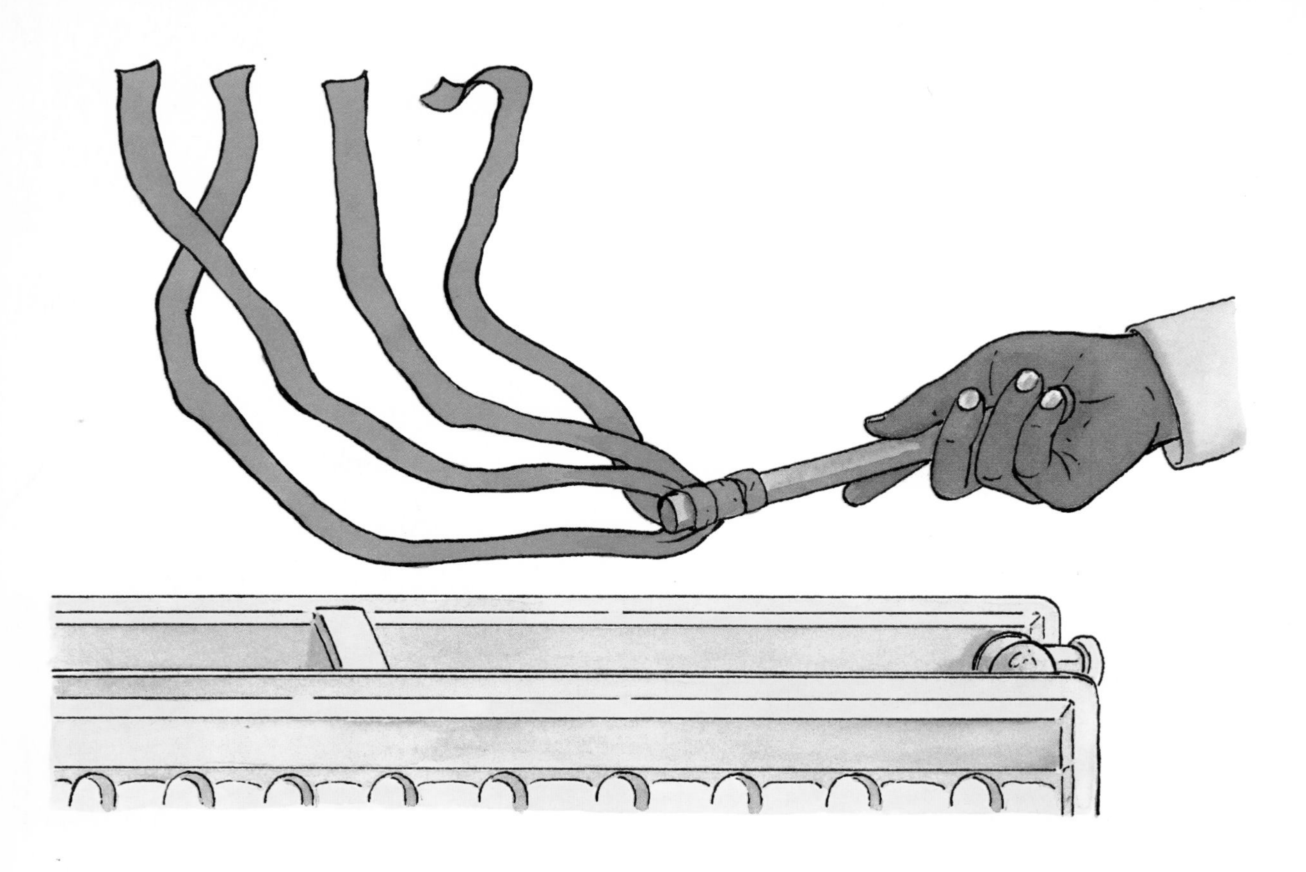

Découpe quelques fines bandes de papier de soie, et attache-les au bout d'un bâtonnet. Tiens-les au-dessus d'un radiateur chaud, et elles seront soulevées : c'est parce que le radiateur chauffe l'air, et celui-ci devient alors plus léger. Il monte donc et il entraîne les bandelettes avec lui.

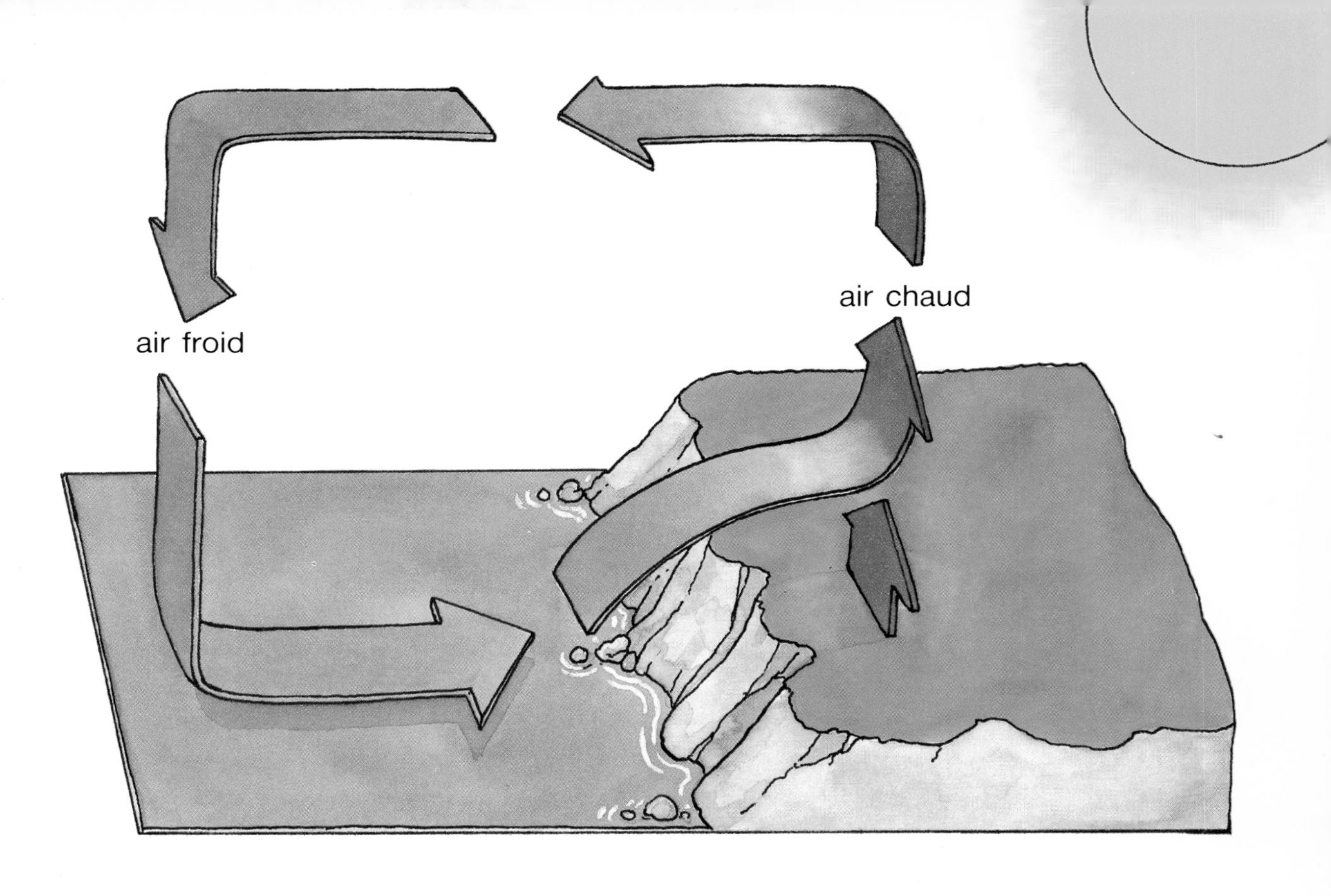

La même chose se produit partout dans le monde. Le soleil chauffe la terre, et celle-ci chauffe l'air au-dessus d'elle. Cet air chaud est plus léger et il monte. De l'air froid arrive par le bas pour prendre sa place. Ces déplacements de l'air d'un endroit vers un autre forment les vents.

Ce dessin montre un grand aéroport.
La manche à air placée à droite montre
dans quelle direction le vent souffle.

Tu peux fabriquer une manche à air avec
un morceau de bas nylon ou de collant.
Demande à un adulte de t'aider. Coupe
une demi-jambe et passe un fil de fer
dans sa partie large, pour former un anneau.
Attache à celui-ci trois ficelles. Plante un
long bâton dans le sol et enfonce un clou
à son sommet. Lie les trois ficelles, de
longueur égale, au clou, et laisse flotter
la manche à air dans le vent. Elle indique
la direction où le vent va. Une boussole
te donnera le nom des diverses directions.

Tu peux mesurer avec quelle force le vent souffle. Colle quatre gobelets de carton à une assiette de carton. Peins un gobelet en rouge. Enfonce une punaise dans le milieu de l'assiette et le haut d'un bâton. L'assiette doit pouvoir tourner. Le vent fera tourner cet « anémomètre », d'autant plus vite qu'il est plus fort. Compte le nombre de tours du gobelet rouge par minute : il t'indiquera la vitesse du vent.

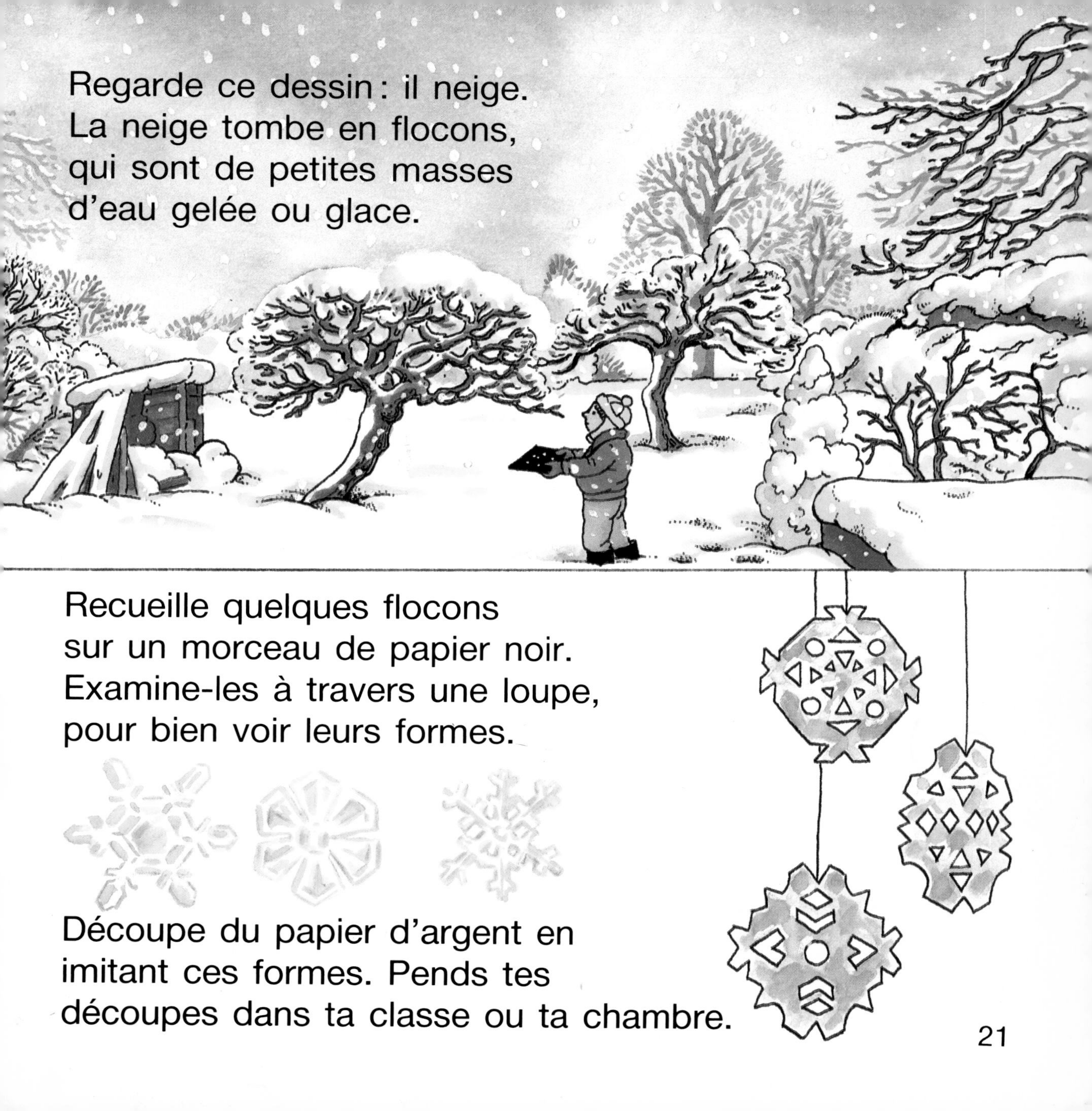

Regarde ce dessin : il neige.
La neige tombe en flocons,
qui sont de petites masses
d'eau gelée ou glace.

Recueille quelques flocons
sur un morceau de papier noir.
Examine-les à travers une loupe,
pour bien voir leurs formes.

Découpe du papier d'argent en
imitant ces formes. Pends tes
découpes dans ta classe ou ta chambre.

Sors de ta maison un matin assez tôt. Tu verras l'herbe couverte de gouttelettes d'eau. C'est de la rosée. Elle se forme quand l'air se refroidit pendant la nuit. Alors une partie de la vapeur d'eau qui se trouve dans l'air redevient de l'eau. Elle se dépose en petites gouttes sur les plantes et les voitures.

Pendant les nuits très froides, la vapeur d'eau de l'air se dépose et gèle aussitôt. Tout est alors couvert de « gelée blanche ». L'eau qui mouille les routes gèle également durant ces nuits et forme le verglas.

Glossaire

Tu trouveras ici l'explication de quelques mots spéciaux qui sont employés dans ce livre.

brouillard : nuage qui flotte dans l'air, près du sol ou de la mer ; c'est une masse de gouttelettes.

gaz : matière très légère, qui n'est ni solide, ni liquide, souvent invisible.

gelée blanche : glace poudreuse qui se dépose sur les objets durant les nuits très froides.

glace : eau gelée, ou devenue solide.

neige : groupes de petits blocs de glace de formes spéciales, ou cristaux, qui tombent en flocons.

nuage : masse de petites gouttelettes d'eau qui flottent dans l'air.

pluviomètre : appareil qui permet de mesurer combien d'eau de pluie tombe.

rosée : petites gouttes d'eau qui se déposent sur les objets froids durant la nuit, à l'extérieur.

température : c'est le fait qu'un objet est plus ou moins chaud ou froid.

thermomètre : appareil qui mesure les températures.

vapeur d'eau : eau changée en un gaz par la chaleur.

vent : c'est de l'air qui se déplace.

verglas : eau gelée et glissante à la surface des routes et trottoirs.

Index